幼儿小百科

宇宙和地球

马劲◎编著　　showlin◎绘

北京联合出版公司
Beijing United Publishing Co.,Ltd.

图书在版编目 (CIP) 数据

宇宙和地球 / 马劲编著；showlin 绘 .—北京：北京
联合出版公司，2018.5（2018.10 重印）

（幼儿小百科）

ISBN 978-7-5596-1936-5

Ⅰ．①宇… Ⅱ．①马…② s… Ⅲ．①宇宙－儿童读
物②地球－儿童读物 Ⅳ．① P159-49 ② P183-49

中国版本图书馆 CIP 数据核字 (2018) 第 068741 号

幼儿小百科

·宇宙和地球·

选题策划：白马图书

项目策划：冷寒风

责任编辑：杨 青　高霁月

特约编辑：王世琛

插图绘制：showlin

美术统筹：吴金周

封面设计：周 正

北京联合出版公司出版

（北京市西城区德外大街83号楼9层 100088）

艺堂印刷（天津）有限公司印刷 新华书店经销

字数10千字　720×787毫米　1 / 12　4印张

2018年5月第1版　2018年10月第2次印刷

ISBN 978-7-5596-1936-5

定价：24.90元

目录

"欢迎上车！"

　　眼镜博士有一个机器人助手，名字叫作"玉米"。每天，他和玉米都开着"月亮"号观光车，载着孩子们在太空和地球间来来去去。小学生诺诺经常跟着他们一起进行星际旅行。现在，观光车就要出发了——

猎户星云　　　　哑铃星云

行星不发光，绕着恒星做圆周运动，只不过这个"圆"通常不怎么标准。

这五颜六色的一团团是星云，由太空中的气体和尘埃聚集而成。它们有很多不同的形状。

马头星云

恒星能发光、发热，构成了人们在地球上看到的夜晚的星空。

蟹状星云

"地球人住在叫银河系的'岛'上。这是个棒旋星系。离银河系很远的地方，还有河外星系。"

眼镜博士一高兴，就要开始讲课了。

4

椭圆星系

行星

星团

要是把太空想象成一片大海，星系就是散落在海上的"岛屿"，"岛民"就是星云、星团、恒星、行星……会发光的恒星决定了我们看到的"岛屿"的形状。

棒旋星系

"宇宙在一场大爆炸中诞生。它不停地膨胀，到今天已经非常非常大了。"

旋涡星系

走吧，先去太空转转

兴奋交谈着的孩子们突然安静了下来，他们到哪儿了呢——

地球上空的星星被分成了**88个星座**。
由于不透明的地球挡住了视线，我们只能看到
这88个星座中的一部分。

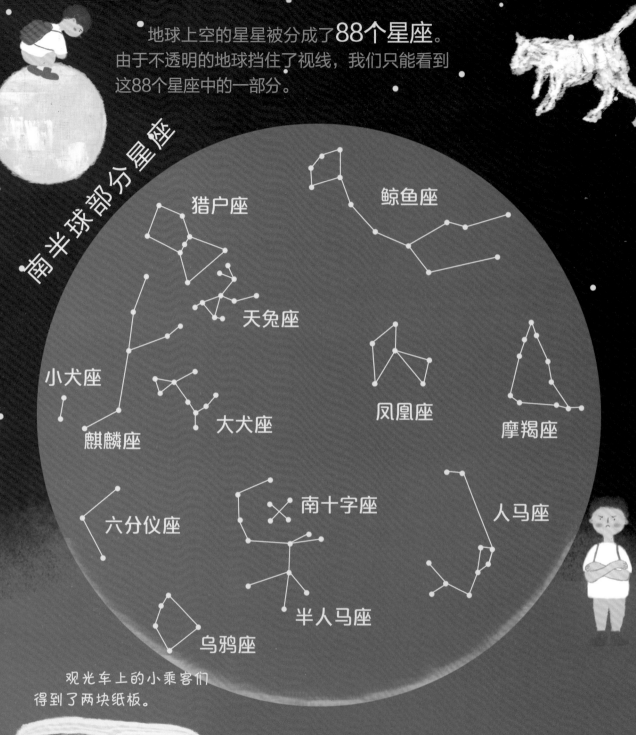

南半球部分星座

猎户座

鲸鱼座

天兔座

小犬座

凤凰座

摩羯座

麒麟座

大犬座

六分仪座

南十字座

人马座

半人马座

乌鸦座

观光车上的小乘客们
得到了两块纸板。

星座——星空上的连线游戏

人们凭着想象，把星星连在一起。夜空被划分成许多部分，这些部分就是不同的星座。

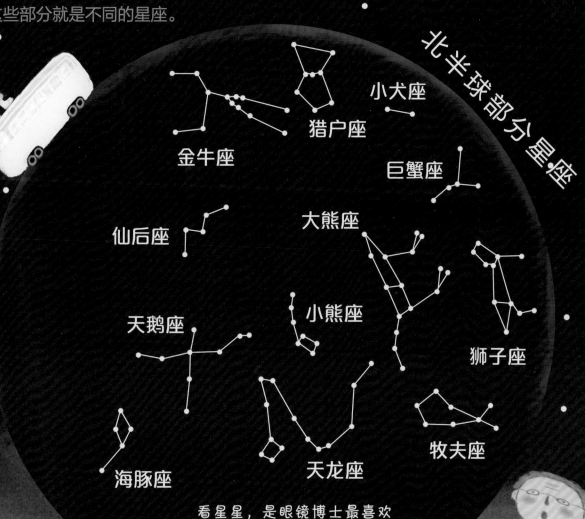

北半球部分星座

小犬座
猎户座
金牛座
巨蟹座
仙后座
大熊座
小熊座
天鹅座
狮子座
牧夫座
海豚座
天龙座

看星星，是眼镜博士最喜欢的事——亮闪闪的星星们，可以被连成许多形状。

"以前的人们按照自己心中的形状给星座取名字，每个星座都有不同的名字，例如有人觉得大熊星座像鲑鱼，有人觉得像耕犁，诺诺觉得它像一只螃蟹。"

参观太阳系

诺诺注意到了一颗巨大的"火球"——
"月亮"号重新驶回了太阳系。

太阳系 以太阳为中心，由太阳和
环绕在太阳周围的天体构成。

太阳

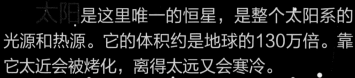

远   近

太阳 是这里唯一的恒星，是整个太阳系的
光源和热源。它的体积约是地球的130万倍。靠
它太近会被烤化，离得太远又会寒冷。

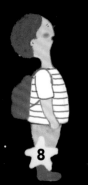

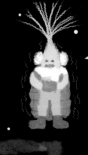

八大行星中最小的行星。

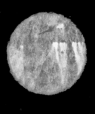

水星

八大行星中距离地球最近。

金星

每一天，无数的生命传奇在人类生活的地球上演。

地球

人们常猜火星上有外星人，但是谁都没有见过。

火星

木星是个灵活的"大块头"，它的自转速度在八大行星中最快。

木星

土星被壮观、美丽的土星环围绕着。

土星

天王星的个性在于几乎"躺"着绕太阳公转。

天王星

八大行星中距离太阳最远，是一个极其寒冷和黑暗的星球。

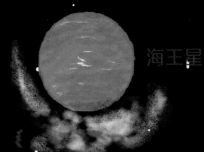

海王星

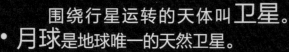

围绕行星运转的天体叫**卫星**。
月球是地球唯一的天然卫星。

气象卫星云图

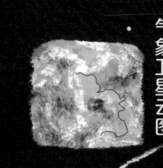

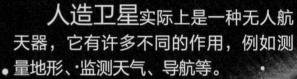

人造卫星实际上是一种无人航天器，它有许多不同的作用，例如测量地形、监测天气、导航等。

彗星呈云雾状，由彗核、彗发、彗尾三部分组成。彗核就像是一个巨大的冰雪球，当彗星靠近恒星时，会在四周形成彗核的蒸发物——彗发，还会形成一条"尾巴"——彗尾。

迷人的夜空

玉米带着孩子们下车看星星——夜空是玉米最喜欢的风景。

"哈雷彗星大约每76年经过近日点一次，下一次人们可以在地球上看到它的时间是2061年。"

当星际空间中的尘埃颗粒高速掠过地球大气层时，会因为摩擦而燃烧，产生一道道光迹，这就是流星。

那些经过大气层、没有在大气中完全燃烧殆尽，从而降落到地面上的"入侵者"就成为了陨石。

孩子们把不肯上车的玉米拖了上去——他还在念念不忘不知什么时候才会出现的流星雨。

11

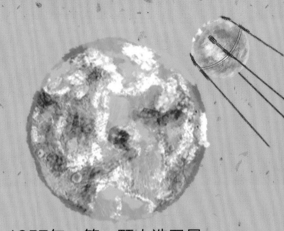

1608年，世界上第一架望远镜在荷兰的一家眼镜店里诞生。

1609年，意大利科学家伽利略第一次用望远镜观察天空，天文学从此进入望远镜时代。

1957年，第一颗人造卫星斯普特尼克1号被送入太空。

1668年，万有引力的发现者牛顿制造出第一台反射式望远镜。

1675年，为了帮助航海家在海上测定经度，英国国王查理二世下令建造格林尼治天文台。

1961年，宇航员尤里·加加林乘坐"东方一号"宇宙飞船进入太空，1小时48分后返回地球。

1969年，人类乘坐"阿波罗11号"宇宙飞船首次登上月球。

1998年，国际空间站的第一个组件发射成功。现在，它每90分钟就可以环绕地球一圈。

1990年，哈勃空间望远镜被送入太空。

2003年，斯皮策太空望远镜被送入太空。

宇宙探索的足迹

太阳是太阳系的中心天体，地球在八大行星中距离太阳**第三近**。

这个**不远不近**的距离，让地球表面既不像天王星、海王星那么冷，也不像水星、金星那么热，温度正好适宜生物生存。

水星

金星

回到蓝色星球

"在太空中，地球看上去就像一颗蓝色的水果糖。"

海洋覆盖了地球表面的71%——这正是地球呈现蓝色的原因。

"会有外星人吗？"

人类居住在地球上那29%的**陆地**上。

水孕育并维系了地球上丰富、多样的生命。

"地球是目前所能探测到的宇宙环境中已知的唯一存在生命的天体。"

大气层允许一部分阳光通过，为地球提供　　、　　。

随着高度增加，大气层中的空气越稀薄。

通过让一部分热量"逃跑"来给地球降温。

白天，大气层为地球阻挡过于强烈的阳光，夜晚则为地球保温。

穿越大气层

如果大气层太厚，像被子一样捂住地面，地球的温度就会越来越高。

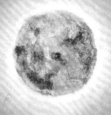

臭氧层

如果大气层太薄，地球上的昼夜温差就会变大，不适宜生物生活。

臭氧在高空吸收大量的紫外辐射，保护地球上的生物免受伤害。

"厚厚的大气层包裹在地球周围，守护着这颗蓝色星球上蓬勃的生命。"

雨

有了大气层，才会有玉米喜欢的风、雨、雷、电、云，以及能喝的淡水。

"月亮"号正在通过大气层，驶向地球。

大气层的高度在 1000千米 以上，这个距离的摩擦足以把绝大多数流星烧成灰烬。

1000+千米

"月亮"号躲过了一次危险。

大气返还地面散失的热量，可以保持地面温度。

雷电

风

17

"七大洲，四大洋，构成了地球的表面。"

北极熊

北冰洋是面积最小的大洋。

北美洲有世界最大的淡水湖群——五大湖。

欧洲的三分之一以上是半岛和岛屿。

大西洋

太平洋

南美洲有纵贯大陆西部的安第斯山脉。

蓝鲸

安赫尔瀑布

海洋资源

海象

多瑙河

珠穆朗玛峰

亚洲是最大的大洲。

撒哈拉沙漠

太平洋

非洲是热带大陆。

印度洋

大洋洲是最小的大洲。

企鹅

南极洲被称为"白色沙漠",没有树木生长。

现在开始地球探险

19

天亮了，天黑了

北极

太

阳

光

黑夜

白天

南极

"地球的**自转**产生白天和黑夜的交替。"

地球一刻不停地自转，被太阳照射到的一面就是白天，太阳照不到的另一面就是夜晚。

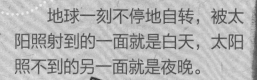

地球自转一圈所花的时间约为23小时56分4秒。

"地球"带着纸人"玉米"经历了黑夜，又进入了白天。

任何时候，地球上都有一半地方处于白天，另一半地方处于夜晚。

如果把玉米的身体变成地球——

N
北半球
春季

北半球
夏季

S

太阳

北半球
冬季

北半球
秋季

zZz

"变换的**四季**是大自然的杰作，它的形成和地球围绕太阳**公转**有关。"

地球自转的同时也在围绕太阳不停地公转，太阳不会永远直射地球的同一个位置。夏季是一年中白昼最长、太阳最高、获得太阳辐射最多的季节；而冬季则是一年中白昼最短、太阳最低、获得太阳辐射最少的季节。

太阳

"天变黑了，又很快变亮。"

"月球运动到太阳和地球之间，如果三者恰好在一条直线上，月球就会挡住照射到地球上的太阳光，地球上的人就看不到太阳了，这就是日食。"

月球是地球的卫星，围绕地球公转。这个天体系统叫地月系。

月球

月球半影

月球本影

地球

22

太阳

太阳月亮不见了

"月亮消失了，
然后重新出现。"

地球的阴影落在月球表面，看上去就像月球的一部分消失了。

地球

地球本影

月球

地球半影

▶ "当月球运行到地球的阴影部分时，太阳、地球、月球在同一条直线上，地球会挡住照射到月球上的太阳光，月亮就好像消失了，这就是月食。"

盈凸月：月球圆面上绝大部分是明亮的。

盈凸月

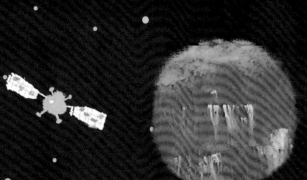

满月

满月：月球的整个光亮面对着地球。

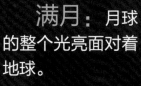

亏凸月

下弦月

诺诺发现，每一天，月亮的脸都在悄悄地改变。

上弦月

蛾眉月：形状像眉毛。

蛾眉月

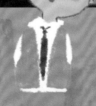

新月

新月：月球被照亮的一面背对地球，几乎看不见。

残月

"地球、太阳、月球的位置，决定了夜空中月亮的模样。"

夜空总是让玉米陶醉……

观月

大气层让地球保持着适宜的温度，但是地球上也有非常炎热和非常寒冷的地方。

玉米最喜欢温带地区，这里是地球上四季变化最鲜明的地方。

赤道是南半球和北半球的分界。赤道附近是地球上最热的地方。

北极
北寒带
北温带
北回归线
赤道
热带
南回归线
南温带
南寒带
南极

南极和北极地区最冷。

两极冷，赤道热

自然的魔术——极光

极光是高磁纬地区常出现的一种大气发光现象，是自然界最漂亮的奇观之一。

在这些地方，能看到最美丽的极光现象：

- 挪威
- 丹麦
- 美国（阿拉斯加地区）
- 芬兰
- 瑞典
- 加拿大

极光产生的必要条件有三个：大气、磁场、高能带电粒子。

孩子们观看了一场天地间最壮丽的"魔术"。

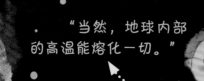

"当然，地球内部
的高温能熔化一切。"

"地球内部的高温也能
熔化'月亮'号吗？"

地球内部温度最
高的地方。

地壳　地球表面由岩石
组成的固体外壳。

充满液态金属。

外核

内核

地幔

地球内部体
积最大、质量最
大的一层。

"地球内部的世界温度
高得难以想象。"

孩子们对地球内部世界
的样子十分好奇……

地球内部的世界

眼镜博士又拿出了他的纸板，这次是拼图——

漂移的陆地

约1.8亿年前

劳亚古陆

冈瓦纳古陆

大陆漂移的方向

"板块的分离、组合，改变了地球的面貌，就像我们拼七巧板一样。"

北美洲　欧洲　亚洲

南美洲　非洲

大洋洲

南极洲

约6500万年前

北美洲　欧洲　亚洲

非洲

南美洲

大洋洲

现在

南极洲

板块的运动改变了地球的面貌。

在很久很久以前，地球上的大陆是连成一片的，组成了一块原始大陆。

泛大陆

泛大洋

约2亿年前

29

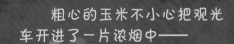

地壳下含有硅酸盐和挥发成分的高温熔融物质就是岩浆。

岩浆喷出地面变成熔岩，熔岩的温度极高，会毁灭它接触到的一切。

地球内部的岩浆冲破地壳喷出地表，就形成了火山。
火山喷发是自然界最可怕的现象之一。

火山喷出物在喷出口周围堆积形成的山丘就是火山锥，圆锥状的火山锥是最常见的。

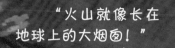

"火山就像长在地球上的大烟囱！"

喷出的火山灰挡住了太阳和天空。

火山会在地壳活动加强时冒烟，但不一定会喷发。

幸运的"月亮"号又躲过了一劫。

如果附近的植物突然枯萎、死亡，动物行为异常，那么火山可能就要喷发了。

地球的"烟囱"——火山

褶皱山

断层山

"山脉出现的原因是板块运动的巨大力量。"

冠状山

穿越山脉

高山上的居民们世世代代与高山为伴。

火山

珠穆朗玛峰高8844.43米。

海拔高的地方终年冰雪覆盖。

山上空气稀薄，越高的地方气温越低。

高山上的动物长着厚厚的皮毛，可以抵御严寒。

攀登高峰的登山者们都穿着厚厚的衣服，背着氧气瓶。

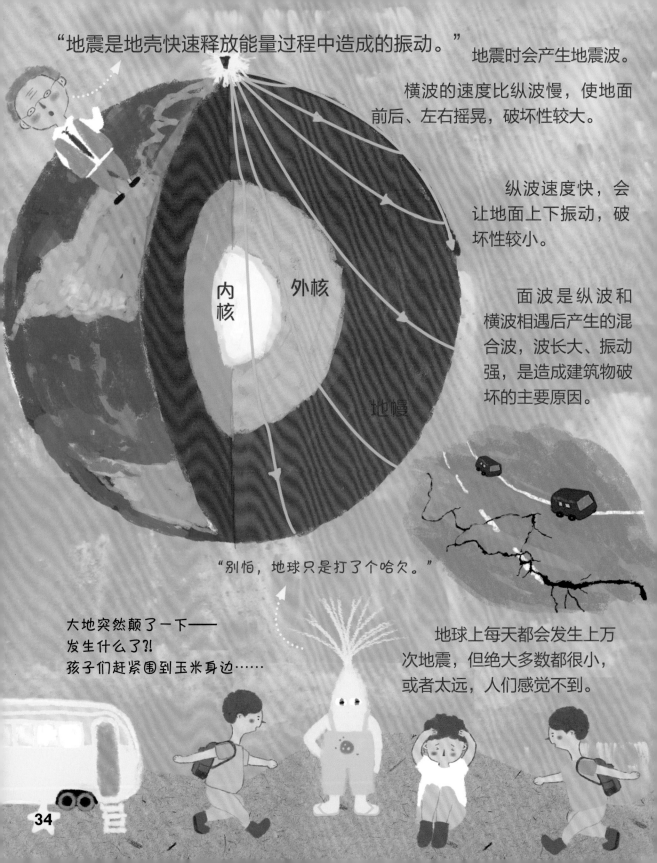

"地震是地壳快速释放能量过程中造成的振动。"

地震时会产生地震波。

横波的速度比纵波慢，使地面前后、左右摇晃，破坏性较大。

纵波速度快，会让地面上下振动，破坏性较小。

面波是纵波和横波相遇后产生的混合波，波长大、振动强，是造成建筑物破坏的主要原因。

内核

外核

地幔

"别怕，地球只是打了个哈欠。"

大地突然颠了一下——
发生什么了?!
孩子们赶紧围到玉米身边……

地球上每天都会发生上万次地震，但绝大多数都很小，或者太远，人们感觉不到。

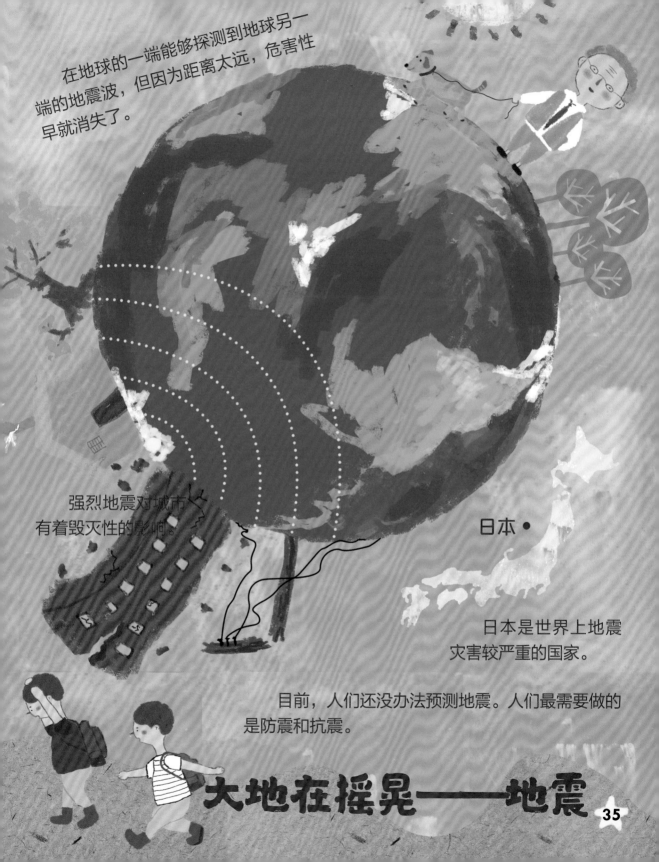

在地球的一端能够探测到地球另一端的地震波，但因为距离太远，危害性早就消失了。

强烈地震对城市有着毁灭性的影响。

日本·

日本是世界上地震灾害较严重的国家。

目前，人们还没办法预测地震。人们最需要做的是防震和抗震。

大地在摇晃——地震

河流与湖泊

循着一条大河，"月亮"号
带着孩子们从高山到海洋——

"河流的发源地
一般在高处，向低处
流入湖泊或海洋。"

河流从高山出
发，上游狭窄崎岖，
流得很快。

中游地势变平，
流速变慢。

飞流直下的瀑布也是河
流的一部分。

河流在下游流
得最慢。

窄而浅的河流
叫溪流，大河一
般叫作江。

很多河流从泉水发源。

36

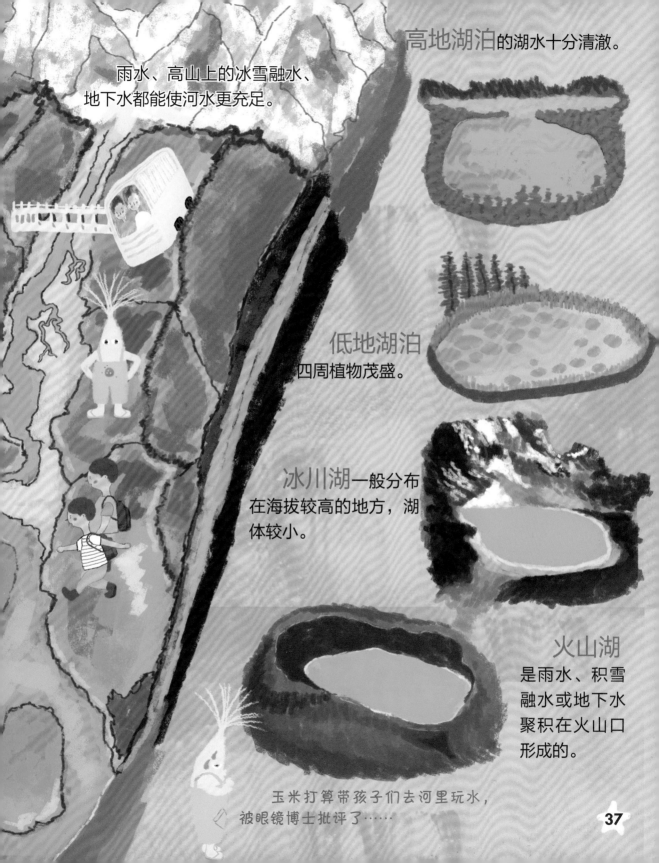

高地湖泊的湖水十分清澈。

雨水、高山上的冰雪融水、地下水都能使河水更充足。

低地湖泊四周植物茂盛。

冰川湖一般分布在海拔较高的地方，湖体较小。

火山湖是雨水、积雪融水或地下水聚积在火山口形成的。

玉米打算带孩子们去河里玩水，被眼镜博士批评了……

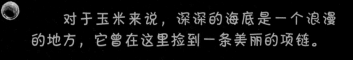

海底漫游记

对于玉米来说，深深的海底是一个浪漫的地方，它曾在这里捡到一条美丽的项链。

被海水环绕的小片陆地，就是**海岛**。美国的夏威夷是一个建立在海岛上的城市，日本整个国家都在海岛上。

大陆沿岸的土地在海面下向海洋的延伸部分，就是**大陆架**。

大陆坡是一个斜坡，它一头连着陆地边缘（大陆架），一头连着海洋。

海底的平坦陆地叫**深海平原**，被来自大陆和岛屿的沉积物层层覆盖。

"海底的世界和陆地上一样，有着起伏的海丘、高耸的海山和平坦的海原……"

海底世界的漫游开始了——

周围越来越黑，但孩子们一点都不害怕。他们把脸紧紧地贴在窗户上，对外面的景象十分好奇。

海岭又叫海脊，看起来和陆地上的山脉很像，是狭长绵延的海底高地。

大洋中脊又叫作中央海岭，贯穿世界四大洋，是最长、最宽的环球性洋中山系。

马里亚纳海沟深11034米，是目前已知的地球上最深的海沟。

海沟是海洋中最深的地方。

39

为了追随一滴水，"月亮"号经历了一场声势浩大、热热闹闹的海陆大游行。

风把云吹向陆地。

水滴越来越重，变成雨或雪降落到地面。

一部分水重新流入小溪或河流。

河流、湖泊、植物里的水蒸发。

有的河流流入海洋。

有的河流汇入湖泊。

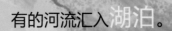

一部分水渗到地下，成为地下水。

云逐渐变厚、变重。

水汽重新变回水滴，
聚集成云。

"水改变状态，从一个地方到另一个地方，形成地球上的水循环。"

海洋表面的水经过蒸发变成水汽，升到空中。

水的海陆大游行

"月亮"号带着孩子们看遍了各处的森林，装饰在观光车上的树叶是森林留给孩子们的纪念品。

竹林和熊猫

"森林里浓密的树木遮蔽地面，动物们享受着充足的食物。"

桉树林和考拉

世界上多于一半的动植物都生活在**热带雨林**里。赤道附近的地区终年高温、多雨，那里有地球上最茂盛的热带雨林。

湿润的海风吹到海岛或海岸上，变成雨水，养育了繁茂的**温带雨林**。这里和热带雨林在某些方面很相似，但冬天比热带雨林冷，夏天又没有那么热。

走遍森林

常绿阔叶林生长在亚热带湿润地区，四季常绿。

红树林和白鹭

杉树林和黑尾鹿

针叶林多生长在寒温带，是分布最靠北的森林。这里的树木叶子像针一样。

冬天来临，落叶阔叶林的树叶变黄、飘向大地，到了春天，树木重新抽枝发芽，长出新叶。

"我可以养一只熊猫吗？"

43

非洲热带草原

干湿季交替的非洲热带草原上，动物们正在上演壮观的迁徙之旅。

猴面包树

刺槐

金合欢树

长颈鹿

斑马

羚羊

"风把云从海洋吹向陆地，云中的水汽越来越少，顽强的草代替树木生长起来，形成了草原。"

辽阔大草原

潘帕斯草原是一片"没有树木的大草原"，这里牛群遍野，到处都是农田和牧场。

"这里是绿色的海洋！"

潘帕斯草原

灰狼

北美大草原面积很大，是世界著名大草原之一。

北美大草原

雕

一到夏天，这片草原上就热闹非凡。

野牛

叉角羚

野马

屎壳郎

草原松鸡

响尾蛇

草原犬鼠

澳大利亚大草原

袋鼠

鸸鹋

考拉

澳大利亚大草原上放牧着上千万只绵羊。袋鼠随处可见，考拉、鸸鹋是这里特有的动物。

有时，沙漠上空会出现
神奇的海市蜃楼。

沙漠里水很少，风很大。

"地球陆地约三分
之一都是沙漠。"

河流逐渐消失，植物越来越少，
观光车终于驶进了沙漠。

蘑菇岩石
是沙子击打的
产物。

蘑菇岩石

骆驼背上长着高
高的驼峰。

沙拐枣

绿洲像是镶嵌在
沙漠里的美丽的珍珠。

46

沙漠和绿洲

沙漠里的动植物既不怕干旱，也不怕炎热。

佛肚树

仙人掌

沙漠棉尾兔用布满血管的大耳朵来散发热量。

沙漠是旅程的最后一站，
孩子们即将回到爸爸妈妈身边。
玉米和每一个孩子拥抱，
希望孩子们喜欢这次旅行，
喜欢他们头上的天空和脚下的大地。

胡杨

梭梭

游戏时间

星座连一连

这是诺诺在"月亮"号上拿到的星座纸板，小朋友们快来连一连吧。

小犬座

猎户座

金牛座

巨蟹座

大熊座

仙后座

天鹅座

小熊座

狮子座

牧夫座

海豚座

天龙座